D1090343

LOFOTEN

Trym Ivar Bergsmo
Pantagruel Forlag

Roy Jacobsens bidrag "Lofotfisket" er
utdrag fra Nordnorsk kulturhistorie,
bind 2, Gyldendal Norsk Forlag AS,
Oslo, 1994, og gjengitt med
forfatterens velvillige tillatelse.

Alle henvendelser om rettigheter
til denne bok stilles til:
Pantagruel Forlag AS
Postboks 2370 Solli
0201 Oslo

Bildene kan kjøpes hos billedbyrået
Samfoto AS, Oslo
www.samfoto.no

Trym Ivar Bergsmo
Hestesletta 9
N-9406 Harstad
e-post: trymfoto@arctic-image.no
www.arctic-image.no

ISBN 82-7900-103-4
Design: Mons Rønning AS
Oversettelse til engelsk:
Melody Favish
Repro: RenessanseMedia
Trykk: PDC Tangen

Forord

Lofoten er den geografiske ligningen som ikke går opp. Det stemmer liksom ikke at det kan være så mye hav, fjell, vær og lys på et så lite geografisk område. Det er i hvert fall ingen andre steder i landet vårt der man kan oppleve så variert natur med så korte avstander som i Lofoten.

En reise gjennom øyriket er en komprimert naturopplevelse. Stupbratte fjellvegger som ender rett i havet, ville flog som kaster seg mot himmelen, et frådende storhav eller en hvit sandstrand, blomstrende enger og irrgrønne belter av frodig gress som klorer seg fast i fjellet eller på en berghylle, hardt blendende aprillys eller en myk juninatt, som pakker landskapet inn med varme og kjærlighet.

Selv kan jeg ikke smykke meg med tittelen "ekte lofotværing", men jeg er oppvokst med dette øyriket som nærmeste nabo. Der finnes ikke en veistrekning jeg ikke har vært langs, men det er fremdeles mange fjelltopper jeg aldri kommer til å nå og like mange holmer og skjær jeg ikke kommer i land på. Men jeg kjenner Lofoten og jeg kjenner mange av dem som bor der. Jeg tror dette umiddelbare landskapet, råskapen og poesien i vær og vind, og ikke minst lyset, har påvirket lofotværingene. De er like mangfoldige og engasjerte som landskapet.

En reise gjennom øyriket kan ta en dag eller en måned. Uansett er du garantert en sterk opplevelse!

Harstad, 2001, Trym Ivar Bergsmo

PS. Det er ikke for å skryte, men jeg har faktisk to tanter i Lofoten!

Lofoten is a geographical equation that doesn't add up. It doesn't seem right that there can be so much variation in the sea, mountains, weather and light in such a small geographical area. At any rate, there are no other places in Norway with such varied landscape over such short distances as in Lofoten.

A journey through these islands is an all-encompassing natural experience. Sheer mountain walls that end right in the sea, wild peaks which reach for the heavens, a churning ocean or a white sandy beach, meadows in full flower and bright green belts of luxurious grasses which grip the mountainsides or stretch over a craggy shelf, sharp, dazzling April light or a gentle night in June that bathes the landscape with warmth and love.

I wasn't born in Lofoten, but I grew up with it as my closest neighbor. There isn't a stretch of road I haven't covered, but there are still many peaks I'll never climb and just as many islets and rocks I'll never explore. But I know Lofoten, and I know many who live there. I feel that the immediate landscape, the inability to harness the wind and weather, and above all, the light, have all had an effect on the people of Lofoten. All this makes them just as individual and engaging as the landscape.

A journey through these islands can take a day or a month. It doesn't matter how short or long you stay, you are guaranteed a memorable experience!

Harstad, 2001, Trym Ivar Bergsmo

PS. I don't mean to brag, but I have two aunts living in Lofoten!

Bak meg lå Vestfjorden, like flat og stille som et dansegulv. Og foran meg sto Lofotveggen. Den holdt himmelen oppe, og himmelen var bare blå og mild, som en barnetegning. Sola nektet å lande, natten var et annet sted, her var døgnet en sirkel av lys.

Behind me was the Vestfjord, as flat and level as a dance floor. And in front of me was the Lofoten Wall of mountains reaching for the heavens. The sky was blue and benign as a child's drawing. The sun refused to set, night was far away in another place, and it was light around the clock.

Lars Saabye Christensen

Frodige Flakstadøy i midnattssol.

Verdant Flakstadøy in the midnight sun.

Om sommeren er Hauklandstrand den mest populære badeplassen i Lofoten.

In the summer, Hauklandstrand is the most popular beach in Lofoten.

Blåne etter blåne på Vestvågøy, som er Nordlands største landbrukskommune. Nederst i bildet kirken på Borge, et kjent landemerke i Lofoten.

Hill after hill on Vestvågøy, the largest agricultural district in Nordland county. At the bottom of the picture is the church at Borge, a well-known landmark in Lofoten.

En stille junidag på vei mot Eggum. Himmel og hav møtes, og midt mellom disse bor det mange lofotværinger.

A quiet day in June on the way toward Eggum. The sky meets the sea, and between the two live the people of Lofoten.

Den arktiske terna trekker ca. 20.000 kilometer hver vår og høst.

The Arctic tern covers 20,000 kilometers every spring and fall.

Hamnøy er et aktivt lite fiskevær og ligger idyllisk til med Olstinden ruvende i bakgrunnen. Her kan man leie seg rorbu hele året.

Hamnøy is an active little fishing village in an idyllic setting with Olstinden looming in the background. Fishermen's cabins can be rented year-round.

Fra toppen av Svolværgeita blir havna i Svolvær som et smykke. Broen binder Svinøya sammen med resten av byen.

From the top of Svolværgeita, a massive stone outcrop, Svolvær harbor shines like a jewel. The bridge connects the island of Svinøy with the rest of town.

På Einangen i Bunesfjorden strekker den blankslitte fronten på Helvetestinden seg rett til himmels.

The sheer shiny expanse of Helvetestinden (the peak of Hell) stretches into the heavens at Einangen in the Bunesfjord.

I begynnelsen av januar vender sola tilbake og sender sine første stråler mot Olstinden i Reinefjorden.

The sun returns at the beginning of January and casts its first rays on Olstinden in the Reinefjord.

Havet slår innover steinstranda på Utakleiv en sen sommerkveld i august.

The sea strikes the rocky beach at Utakleiv on a late summer evening in August.

Den nye kirken på Borge er et populært landemerke, og ligger rett ved det gamle vikingsetet som er fra omkring år 1000.

The new church at Borge, a popular landmark, is near the old Viking seat, which dates from around the year 1000.

Nordnorsk frodighet, en overvokst hage.

An opulent overgrown garden in northern Norway.

En liten måkeunge, for første gang alene på tur i en
stor verden.

A little seagull chick, on its first outing in the big world.

På Røst vil du finne at folk har en egen måte å gå på, som er formet av et liv i uopphørlig motvind. Hver dag i måneder på rad blåser en sterk kuling over det flate Røstlandet. Fra barnsben av har røstværingene lært å ta seg frem med et ganglag som gir minst mulig vindfang. De går ikke oppreist med rak rygg og brystet frem som vindløse folk. De ligger på været når de går, med hele seg lutet forover og brystkassen dreiet, slik at skulder og sideflate vender mot vinden enten det blåser eller ikke.

On Røst, people have a way of walking that has been shaped by a life in a constant headwind. Every day for months at a time, a strong gale wind blows over the flat landscape of Røst. From childhood on, the people of Røst have learned to walk in a way that allows for the least possible resistance. They never walk with their backs straight and their chests forward, as people without wind do. They walk with the weather, their entire bodies stooped over and their chests twisted, so that shoulder and flank are turned toward the wind, whether it's blowing or not.

Per Fugelli, 1977

Steingjerdet og steinveien viser litt av slitet røstværingene har hatt med å rydde landet, for å skaffe seg fòr- og åkerland.

The stone fences and roads are visible proof of all the hard labor exerted by the people of Røst to clear the land for farming and grazing.

Sakrisøya er et vakkert fiskevær omkranset av de ville fjellene i Reinefjorden.

Sakrisøy is a beautiful fishing village framed by the wild mountains of the Reinefjord.

En havpadler på vei rundt Lofotodden, Mosken og Værøy i bakgrunnen.

A kayak making its way around Lofotodden, with Mosken and Værøy in the background.

På Røst produseres det tørrfisk av ypperste kvalitet. Klimaet og temperaturen på øyene er optimale og de fleste av innbyggerne er direkte tilknyttet fiskeriene.

Top-quality stockfish is produced on Røst. The climate and temperature on the islands is perfect for the task, and most of the inhabitants are directly connected with the fishing industry.

Indbyggerne paa disse øer er meget renlivede mennesker og ser godt ud, og saaledes er det ogsaa med kvinderne der. Deres sæder er saa enkle, at de ikke bryder sig om at laase for sine ting, og de har heller ikke nogen mistanke til sine kvinder. Dette mærkede vi thydelig; thi i de samme værelser, hvor mænderne og konerne og deres døtre sov, sov ogsaa vi, og i vort paasyn klædte de sig nøgne, naar de skulde gaa til sengs. De pleide at tage badstubad hver torsdag, og da klædte de af sig hjemme og gikk nøgne til badstuen, og var sammen med mændene.
Den italienske handelsmannen Pietro Querini, havarist på Røst i 1432

The inhabitants of these islands are very clean-living people, and they look good. Their women do, too. Their customs are so simple that they do not bother to lock their possessions away, and they do not mistrust their women, either. That was quite clear to us. In the rooms where the men, their wives and daughters slept, so did we. Right before us, they undressed and revealed their nakedness when they went to bed. They usually took a sauna bath every Thursday. They undressed at home and went naked to the sauna, and were there together with the men.
The Italian businessman, Pietro Querini, shipwrecked on Røst in 1432

Fiskeværsmuseet på Å har en stor samling med interessante og velholdte bygninger.

The Norwegian Fishing Village Museum at Å has an extensive collection, which includes many interesting and well-maintained buildings.

Interiør fra Fiskeværsmuseet på Å.

Interior from the Norwegian Fishing Village Museum at Å.

Solen brøt gjennom skodden og lyste over et deilig land; bakkene og bergene var grønne like opp til toppen, aker og eng skrånet opp imot dem, og han syntes han kjente en lukt av blommer og gress, så søt som han aldri hadde kjent før. "Gudskjelov, nå er jeg berga; dette er Utrøst," sa Isak til seg selv. Rett foran ham lå en byggaker med aks så store og fulle at han aldri hadde sett maken, og gjennom den byggakeren gikk det en smal sti opp til en grønn, torvsatt jordgamme, som lå ovenfor åkeren.

Asbjørnsen og Moe, Skarvene fra Utrøst

The sun broke through the mist and cast its rays over a lovely landscape; hills and mountains were green clear up to the tops, fields and meadows extended up to them, and he felt that he could detect the smell of flowers and grass, sweeter than he had ever experienced before. "Thank God, now I have been saved; this is Utrøst," said Isak to himself. Right before him was a field of barley with stalks bearing such plump grain as he had never seen before, and through the field there was a narrow path up to a green turf-roofed hut, which lay above the field.

Asbjørnsen and Moe, The Cormorants of Utrøst

Steingjerdene og det irrgrønne gresset er typisk for Røst. Det er også de små husene som er bygd for å tåle vær og vind.

Stone fences and bright green grass are typical for Røst, as are the small houses which are built to withstand wind and weather.

Den sterkestes rett! En flokk med måker sloss om innmaten fra en fisk.

Survival of the fittest! A flock of seagulls fighting over fish entrails.

Fiskeværet Nusfjord er et av de mest besøkte fiskeværene i Lofoten. I det europeiske arkitekturvernåret 1975 ble Nustfjord utpekt som pilotprosjekt av UNESCO.

Nusfjord is one of the most popular fishing villages in Lofoten and is under the protection of UNESCO.

I Nusfjord har de også tatt vare på den gamle butikken som er full av nye og eldre varer.

The old general store in Nusfjord has been preserved. Today, it's filled with both old and new items.

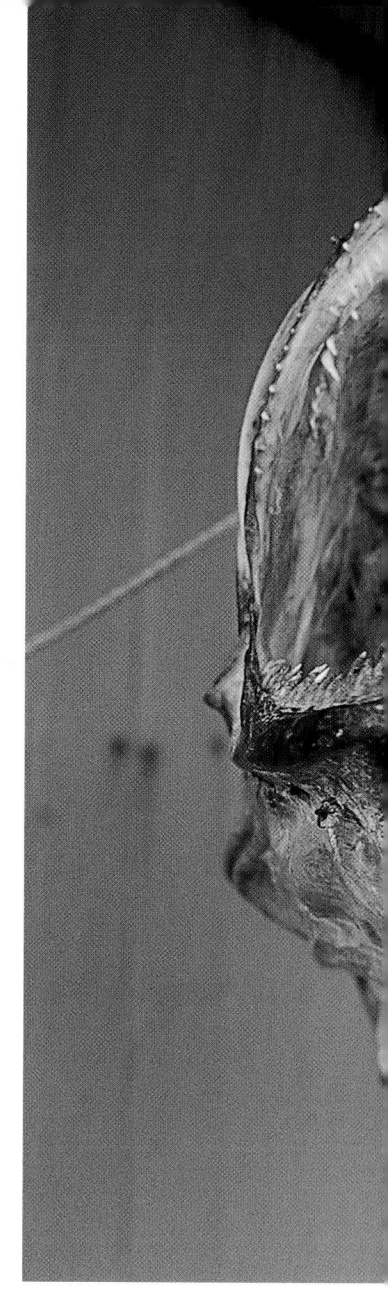

Disse fiskehodene er tørket og kommer fra noen digre breiflabb!

These dried fish heads came from some really large monkfish!

Ei blå augustnatt ved Vestfjorden med Lille Molla innhyllet i tåke.

A blue August night along the Vestfjord with Lille Molla engulfed in fog.

Enkelte steder vokser prestekragene helt ned i strandkanten.

In some places, daisies grow all the way down to the shoreline.

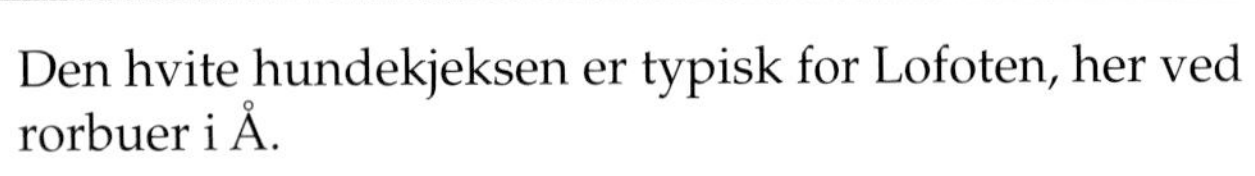

Den hvite hundekjeksen er typisk for Lofoten, her ved rorbuer i Å.

Wild white parsley is typical for Lofoten, here near fishermen's cabins at Å.

På enkelte dager kan det være lavt skydekke og tåke, men kommer en seg over dette skinner sola fra en klar himmel, som her ved Herremansdalen på Moskenesøy.

Some days, there's low cloud cover and fog, but once it clears, the sun shines over a clear sky, such as here at Herremansdal valley on the island of Moskenesøy.

Landskap med skarptromme

Av Kari Bremnes

Jeg har opplevd å ta med folk til Lofoten som, nettopp landet, har vendt seg bort fra fjellet og sagt at Herregud, her kan jeg ikke være. To, faktisk, og ikke samtidig. Begge gangene har jeg sett på dem med undring. Ikke over at møtene med Lofoten virker overveldende, det visste jeg. Nei, undringen over at de menneskene faktisk finnes! De som kan verge seg. De som kan velge å la være å utsette seg for sterke møter. Det valget har jeg aldri hatt. Tvertimot har jeg oppsøkt de møtene, lengtet etter dem, lett etter dem, leter ennå. Jeg vokste opp i et aldri hvilende grep som heter Lofoten. Alle kan vokse opp her, hvis de først skal vokse opp. Det er som med en vidunderlig historie. Du kan høre den og bli tatt av handlingen, og slutten på historien blir selve forløsningen, og den kan være nok, du kan lene deg tilbake mett og glad. Men en rik historie skal inneholde noe annet også, for den som vil ha. Sannheter, kanskje. Erkjennelser, moral, visdom, advarsler. Du kan vokse opp i Lofoten og gå turer i fjellet og ta turer på sjøen og gå turer i bygatene og ha det både koselig og trivielt. Eller du kan se et nordlys over Kongstinden og et soløye ved Lillemolla og en Vestfjord i opprør og dette kan være så overveldende at etterpå er noe i deg forandret. Landskap med skarptromme. Kanskje du skal verge deg.
Hvis du kan.

Scenery accompanied by a snare drum

By Kari Bremnes

The strangest thing I've experienced is meeting people who don't "get" Lofoten, persons claiming not to be able to stay there. I never had a choice in the matter. I grew up here, as if I was inside a wonderful story. You can hear it and get caught up in it and the end of the story will be the actual release. But, a truly rich story also includes truths, admissions, morals, wisdom, warnings. As in the northern lights above Kongstinden, a ray of sunshine at Lillemolla or a raging Vestfjord, each of these phenomena so overwhelming that something inside of you changes. It's like a scenery accompanied by a snare drum. Brace yourself. If you can.

Vikten er en av de små bygdene som ligger på yttersiden av Lofoten.

Vikten is a small settlement on the far side of Lofoten.

Glasshytta på Vikten ligger rett ved havgapet.

The glass cabin at Vikten lies next to the shoreline.

Skarven på Utrøst? En av de mest myteomspunne fugler i nord.

The cormorant at Utrøst, one of the most enigmatic birds of the North.

Nordland på Værøy med den kjente ishavståka som lurer på yttersiden.

Nordland at Værøy, with the famous Arctic fog looming over its far side.

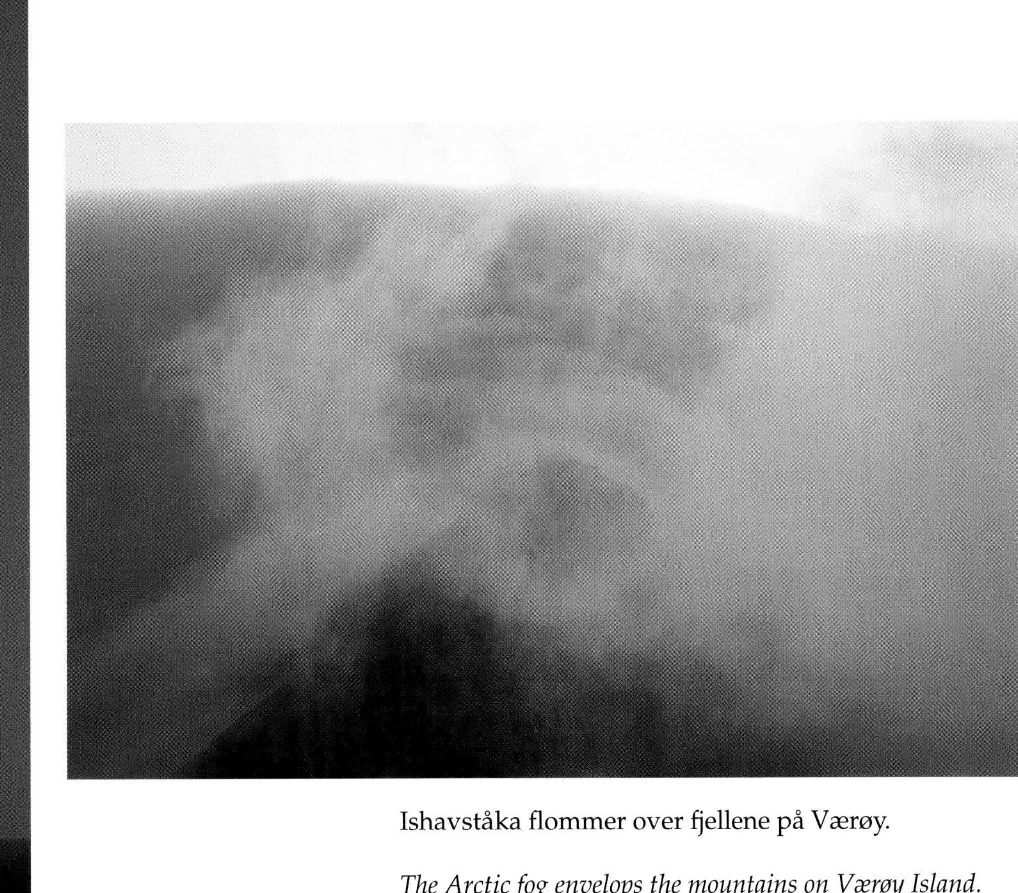

Ishavståka flommer over fjellene på Værøy.

The Arctic fog envelops the mountains on Værøy Island.

Mostad er et lite fraflyttet fiskevær på sørsiden av Værøy, her brukte de den berømte lundehunden for å fange lundefugler.

Mostad is a small abandoned fishing village on the south side of Værøy. It was here that the famous puffin dogs were used to catch those colorful birds.

De gamle nordlandsbåtene har en utrolig vakker form, og brukes i dag som fritidsbåter av mange i Lofoten.

The old Nordland-type boats have graceful lines and are used today as pleasure crafts by many in Lofoten.

Havpadlere i Raftsundet.

Kayaks in Raftsundet.

Bestanden av havørner har vokst betraktelig. Disse ungfuglene sloss i luften over en havsulekoloni.

The stock of sea eagles has increased significantly. These young birds are fighting in the air over a colony of gannets.

Nyvågar er et moderne reiselivsanlegg og ligger rett ved Lofotakvariet, Galleri Espolin og museet på Storvågan.

Nyvågar is a modern tourist center located near the Lofot Aquarium, the Espolin Johnsen Gallery and the Lofoten Museum at Storvågan.

En magisk natt på Reinefjorden med Segltinden i bakgrunnen og en nordlandsbåt med råsegl.

A magical night on the Reinefjord with Segltinden in the background and a Nordland-type boat with a square sail.

Krystallklart vann fra en av de mange bekkene i Lofotfjellene.

Crystal clear water from one of the many streams in the Lofoten mountains.

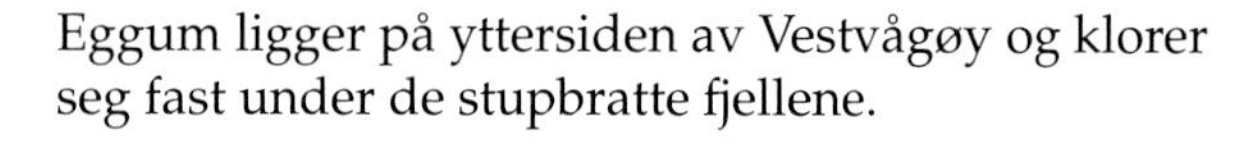

Eggum ligger på yttersiden av Vestvågøy og klorer seg fast under de stupbratte fjellene.

Eggum lies tucked under vertical mountain cliffs on the far side of Vestvågøy Island.

På Eggum står en av de mest kjente skulpturene i Skulpturlandskap Nordland, et prosjekt hvor de aller fleste kommunene i Nordland har sagt ja til å huse et kunstverk av en kjent utenlandsk skulptør. Dette er ***Head*** av Markus Raetz.

Head *by Markus Raetz, at Eggum. Most towns in the county display a work by a well-known foreign sculptor as part of the Nordland Sculpture Landscape project.*

Samme skulptur sett mot øst.

The same sculpture viewed facing east.

Sett mot Vest.

Viewed facing west.

Sett mot nord.

Viewed facing north.

Sett mot syd.

Viewed facing south.

Skulpturen i Vågan ligger ved Lyngvær og er laget av Dan Graham.

This sculpture by Dan Graham is at Lyngvær in Vågan.

Tåke og midnattssol skaper en mystisk stemning i fjellene ved Higraftinden.

Fog and the midnight sun create a mystical setting in the mountains at Higraftinden.

Lofotr, rekonstruksjon av det gamle høvdingesetet fra vikingtiden, som ligger på Borge.

Lofotr, a reconstruction of the old Viking settlement at Borge.

Lyset flommer inn i et av rommene på viking-museet på Borge.

The light streams into one of the rooms at the Viking Museum at Borge.

Vågakaillen er et av de meste kjente landemerkene i Lofoten.

Vågakaillen is one of the best-known landmarks in Lofoten.

Hurtigruta på vei inn i den trange og majestetiske Trollfjorden.

The Coastal Express on its way into the narrow and majestic Trollfjord.

Dette kunne vært hvor som helst i Middelhavet, men det er seilas i Lofoten.

This could be anywhere in the Mediterranean, but it's a regatta in Lofoten.

På Reine Rorbuer har de tatt vare på svært mange av de gamle rorbuene.

Many old fishermen's cabins have been preserved at Reine Rorbuer.

I slutten av juli brer tepper av rødkløver og tiriltunger seg ut langs veiene.

Toward the end of July, fields of red clover and babies' slippers can be seen along the road.

Havsula er en av de vakreste fuglene jeg vet om. Den hekker bare noen få steder i Lofoten.

The gannet is one of the most beautiful birds I know. It nests in only a few places in Lofoten.

Dette er en "himmelbåt".

This is a "skyboat".

Svære havdønninger bryter mot Bunestranda.

Huge swells break against the shore at Bune.

Rosstad er en av de få stedene i Reinefjorden som fortsatt har et par fastboende.

Rosstad is one of a very few places in the Reinefjord which are still inhabited.

Kveldshimmel ved Helvetestinden.

Evening sky over Helvetestinden (the Peak of Hell).

Reine en vakker sommerdag.

Reine on a beautiful summer day.

Rorbuene på Reine ligger strødd utover svabergene.

The fishermen's cabins look as if they have been strewn over the rocks.

Humor i Lofoten

Av Tore Skoglund

Det er mange grunner til at jeg setter pris på Lofoten. Humoren er en av dem. Noen av de beste historiefortellerne jeg har møtt, har hatt tilknytning til Lofoten på en eller annen måte.

Og det er skapt mye god humor, og fortalt gode historier, i Lofoten opp gjennom årene. Tenk bare under lofotfisket der menneskene var stuet sammen i flere måneder, ofte under tøffe og trange kår. Da hadde galgenhumoren gode vekstmuligheter. Som da han Edor fortalte om den vinteren det var så dårlig med fiske og penger, at man måtte steike kveita på høykant for å spare smør.

Underholdningstilbudene var få, ja, bortsett fra på den store brennevinsdagen. Det fortelles at en gang da det rauk opp til en kjempestor slåsskamp mellom en del nordlendinger – noen påstår det var astøinger – og en del sunnmøringer, så ble det ropt etter den tapende part, sunnmøringene, med klar beskjed om at "vi sender kalosjene i retur til Sunnmør for påfyll!". Eller, for eksempel, da en stor, kraftig branne av en fiskarkall hadde forvillet seg inn på et ammekurs for vordende mødre, i mangel av noe annet å ta seg til. Jordmora framholdt at uten morsmelk ble man verken stor eller sterk. Fiskeren protesterte høylytt fra bakerste benk, og poengterte at han ikke hadde hatt en brystvorte innafor sine lepper før han ble forlovet. – Uten at det hadde gått ut over oppveksten, bokstavelig talt.

Nei, det var ikke bare å gå på konsert eller teater etter sløyetid, den gangen. Det ble til at man sjøl måtte lage den moroa man skulle ha. Derfor har nok rorbuveggene i Lofoten hørt det meste, og panelene i tak og vegger har måttet tåle mang ei ramsalt historie.

Menneskene og humoren er ofte som landskapet rundt. Nærheten til elementene gjør ofte noe med dem som bor midt oppe i et evig kov av vær og vind, i et stadig skifte mellom lys og mørke. Og kanskje gjør en titt ut over horisonten med jevne mellomrom også noe med menneskene. Hvis den nordnorske humoren utmerker seg, så ligger muligens forklaringen her.

Den som har ferdes en del i Lofoten, og trosset alle farer med vær og vind, smale veier og tyske bobiler, vet at menneskene i Lofoten er romslige og gjestfrie, med en velutviklet humoristisk sans. De ler av seg selv – og med andre.

Humoren kan være både frodig og lun, og full av *"understatements"*. En finere frue kom på kaia i Svolvær for å kjøpe fisk direkte fra båt. "Gid, denne ser da direkte dårlig ut!" sa hun. "Han e ikkje bærre dårlig, han e dau," svarte fiskeren.

Gourmetene skryter av det saftige, velsmakende lammekjøttet i Lofoten, der man finner forklaringen i jordsmonnet og et saftig, saltholdig gress. Nesten som et under, kommer skreien hvert år og nytes i de beste restauranter i hele Europa. Naturen gir også næring til en folkelig og frodig humor.

Lofoten humor

by Tore Skoglund

Living close to the elements has had its effect on the people of Lofoten. They are open and affable, with a well-developed sense of humor, loaded with understatement. With few opportunities for entertainment, they have always had to make their own fun – just think of all those fishermen telling stories at night in their cabins during fishing season. No wonder some Lofoten anecdotes are really salty!

Lav kveldssol i august utover Bunesfjorden.

The low-lying sun over the Bunesfjord on an August evening.

Det går en rutebåt inn i Kirkefjorden bak Reine, en sjeldent flott naturopplevelse.

A coastal steamer in the Kirkefjord beyond Reine, a rare and beautiful experience.

Bunesfjorden er vill, vakker og frodig!

The Bunesfjord is wild, beautiful and lush!

Reine ligger på mange holmer og skjær og ved foten av de stupbratte fjellene. Vestfjorden i bakgrunnen.

Reine lies over many holms and skerries at the base of very steep mountains, with Vestfjord in the background.

Yttersiden og innersiden av Moskenesøy med Helvetestinden midt i bildet.

The far and near sides of Moskenesøy island with Helvetestinden in the center of the picture.

Midnattssola er en opplevelse! Det er flere steder på yttersiden av Lofoten hvor du kan ha noen praktfulle timer i flommende nattsol.

The midnight sun is an unforgettable experience! In many places on the far side of Lofoten, you can enjoy many beautiful hours in the light of the midnight sun.

Tåka har lagt sitt magiske teppe over Vestvågøy, men på Hagskaret mellom Leknes og Stamsund kan du fortsatt se sola.

Fog has covered Vestvågøy with its magic carpet, but at Hagskaret, between Leknes and Stamsund, you can still see the sun.

Ved sankthans-tider tas tørrfisken ned av hjellene. Her sklir hurtigruta forbi de tomme hjellene en augustkveld.

Dried fish are taken down from their racks at midsummer. The Coastal Express glides past the empty racks on an August evening.

Denne skarven er laget av smeden i Sund.

This cormorant was crafted by the smith at Sund.

En seilbåt på vei vestover, ut av Vestfjorden.

A sailboat on its way westward out of Vestfjorden.

Natt over Mosken, som ligger midt i Moskenesstraumen. I bakgrunnen Lofotveggen som er innhyllet i tåke.

Night over Mosken which is in the middle of the Moskenes maelstrom. In the background the Lofoten Wall enveloped in fog.

Lamholmen som ligger midt i Svolvær havn, er et attraktivt reiselivsanlegg.

Lamholmen, in the middle of Svolvær harbor, is an attractive tourist center.

Restaurant Børsen Spiseri finner du på et gammelt fiskebruk på Svinøya.

Interior from Restaurant Børsen at Svinøya.

Når geitramsen blomstrer, er det et sikkert tegn på at august er nær. Mange betrakter geitramsen som Nord-Norges nasjonalblomst.

When the rosebay willowherb blossoms, August is just around the corner. Many consider this the regional flower of northern Norway.

To slitte flater, en nordvegg og en fjellvegg.

Two weather-beaten surfaces, a northern wall and a mountain wall.

På vei hjem etter endt fisketur.

On the way home after a fishing trip.

Nordgående hurtigrute legger fra kai i Svolvær.

The Coastal Express heads north from the quay at Svolvær.

Den som drømmer om Lofoten, er sanndrømt

Av Lars Saabye Christensen

På folkeskolen, i begynnelsen av sekstitallet, i Oslo, var klasseforstanderen vår, sangfuglen frøken Kristensen, fra Svolvær. Jeg tror hun ofte lengtet hjem. I alle fall lagde vi mange torsk av tøybiter, som vi hengte opp på veggene i klasserommet, en fargerik stim som svømte rundt oss i alle timene vi tilbrakte der, som en trøst vi ikke helt forstod.

Og når vi ikke klippet ut torsk, lagde vi arbeidsbok. Jeg har den ennå: Arbeidsbok for Lars, 3/af, Uranienborg skole, 1962. Det må ha vært det året frøken Kristensen fra Svolvær lengtet spesielt mye hjem, for i den er det et helt kapittel bare om Lofotfisket. Dette har jeg skrevet med blyant og skjev, prøvende skjønnskrift: "Lofotfisket begynner i slutten av januar. Da kommer store mengder skrei – stor torsk – fra Barentshavet. Skreien gyter i det varme sjøvannet på bankene utenfor Lofotveggen. Hun-skreien har mye rogn (fiske-egg) i seg. Rognkornene blir til fiskeyngel." Og var ikke vi, elevene, også en slags fisk, ulike arter fra farvannene rundt Briskeby, Frogner og Skillebekk, som skulle til eksamen for å gyte? Jeg likte bedre setningen på det neste arket: "Konene til lofotfiskerene strikker varme votter, sokker og gensere hele høsten."

Men det er en tegning fra den gangen som først og fremst fanger min interesse. Den er utført medd tegnestifter og heter, ganske enkelt, Lofotveggen. Jeg er ni år gammel, har aldri vært lenger nord enn Eidsvoldbygningen, og fotografiene jeg har sett fra Lofoten, har alle vært i sort-hvitt. Slik er mitt bilde av Lofotveggen: Fjellene er spisse og nære, de står i en tett rekke, vokst inn i hverandre, og luter mot venstre, som om vinden har bøyd dem den veien. Jeg har gjort dem sorte, med sprekker av hvitt. I forgrunnen har jeg tegnet en mørkeblå stripe, havet, og over fjellene har jeg valgt en lysere blåfarge. Og på den himmelen har jeg satt en sterk, gul flekk, oval, nesten som en ødelagt eggeplomme, og jeg vet ikke helt om det er solen eller månen jeg har tenkt meg der. Og rundt denne tegningen har jeg laget en kraftig, rosa ramme, som skal kaste en slags glans over motivet.

Da jeg senere i livet flyttet nord og kunne se Lofotveggen med egne øyne, fra hurtigruta som nærmer seg over Vestfjorden, fra vindusplassen i Dashen, som gynger under skyene, fra bryggene i Henningsvær, torget i Svolvær, eller fra veien og broene, på tur til Moskenes og Å, og videre med fergen ut til det flate punktum i bølgene, Røst, så jeg at jeg hadde tatt feil den gangen, på folkeskolen. Fjellene er ikke sorte. Himmelen er ikke blå og heller ikke havet er blått. Solen og månen er aldri helt gul og rammen her er ikke rosa. For dette lyset, som er summen av fargene som finnes, står ikke stille. Dette lyset er i bevegelse. Du kan legge hånden i det og kjenne en strøm av lys stryke forbi. Derfor er det ingen som vet hvilken farge det er i Lofoten. Og derfor er tegningen min fra 1962 likevel sann. Alle som drømmer om Lofoten, er sanndrømte. Og slik var min drøm som jeg tegnet i sort, blått, gult og rosa. Derfor har den gode frøken Kristensen fra Svolvær, med rette, skrevet en stor R i margen.

The colors of Lofoten

by Lars Saabye Christensen

At the beginning of the 60s, I had a teacher from Svolvær. That year, we learned a lot about Lofoten, but since all the pictures were in black and white, we could only imagine the colors of the North. Now that I've been there, I see that the my drawings were all wrong. The colors of Lofoten change with the light, and that light is in constant movement. It is indescribable and can never be captured on paper.

En måke svinger seg gjennom det varme nattlyset.

A gull makes its way through the warm light of evening.

Blå augustnatt i Kirkefjorden med Reine i bakgrunnen.

A blue August night in Kirkefjord with Reine in the background.

Konsert i Kabelvåg kirke.

A concert in Kabelvåg church.

Kabelvåg kirke kalles også Lofotkatedralen.

Kabelvåg church is also called Lofoten Cathedral.

Blikkstille en tidlig september-morgen ved Rørvik-tunnelen.

Absolute calm on an early September morning at the Rørvik tunnel.

Gimsøybrua i lavt oktoberlys.

Gimsøy bridge in faint October light.

Lundefuglen er utrolig vakker!

The puffin is an incredibly beautiful bird.

Lundefugler i
midnattssol.

Puffins in the midnight sun.

Espolin Johnson-galleriet ved Kabelvåg rommer en stor samling av kunstnerens verker. I bakgrunnen Lofotgalleriet rett ved Lofotmuseet.

The Espolin Johnson Gallery at Kabelvåg houses a large collection of the artist's work. In the background, the Lofoten gallery, next to Lofoten museum.

Interiør fra en av de gamle rorbuene på Lofotmuseet.

Interior from on of the old fisherman's cabins at Lofoten museum.

Interiør fra Galleri Espolin.

Interior from Gallery Espolin.

Hyse fra Lofotakvariet.

Haddock at the Lofoten aquarium.

Båtvrak av eldre dato kan fortsatt ha smekre linjer.

An old derelict boat can still have beautiful lines.

Høst i Austnesfjorden med Rulten i bakgrunnen.

Autumn in the Austnesfjord with Rulten in the background.

Mens jeg sto å så på økte hastigheten til en forrykende fart. Det svulmet, sydet og hvislet, bruste i veldige virvler, og alt ble slynget og pisket mot øst med fart som en ellers bare ser i strie fosser.

Edgar Allan Poe, I malstrømmen

Even while I gazed, this current aquired a monstrous velocity. Here the vast bed of the waters burst suddenly into phrensied convulsion – heaving, boiling, hissing – gyrating in gigantic and innumerable vortices, and all whirling and plunging with a rapidity which water never elsewhere assumes.

Edgar Allan Poe, A Decent into the Maelström

Storm! Når oktober kommer, forventer de fleste at det kan komme et skikkelig uvær.

Storm! October comes, most people expect bad weather.

Spekkhoggere og havørn, en fantastisk naturopplevelse. De kommer inn Vestfjorden på høsten, for å beite på silda.

Killer whales and sea eagles are a fantastic sight. They come into the Vestfjord in the autumn to feed on herring.

I Lofoten bor man under fjellene.

Everyone lives beneath the mountains in Lofoten.

Kirken på Flakstad gjør seg godt i mørketida.

The church at Flakstad looks good in the dark.

Mørketid, med spor av liv. Eggum på yttersida.

The dark time of year, with traces of life. The far side of Eggum.

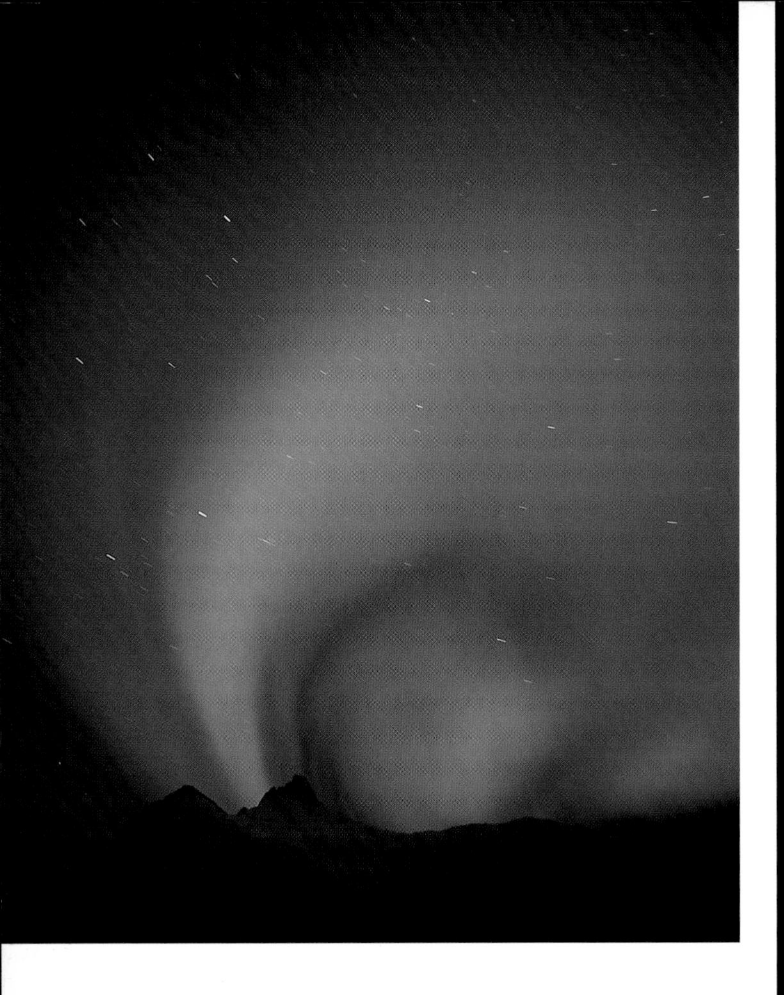

Nordlys, aurora borealis.

The northern lights, aurora borealis.

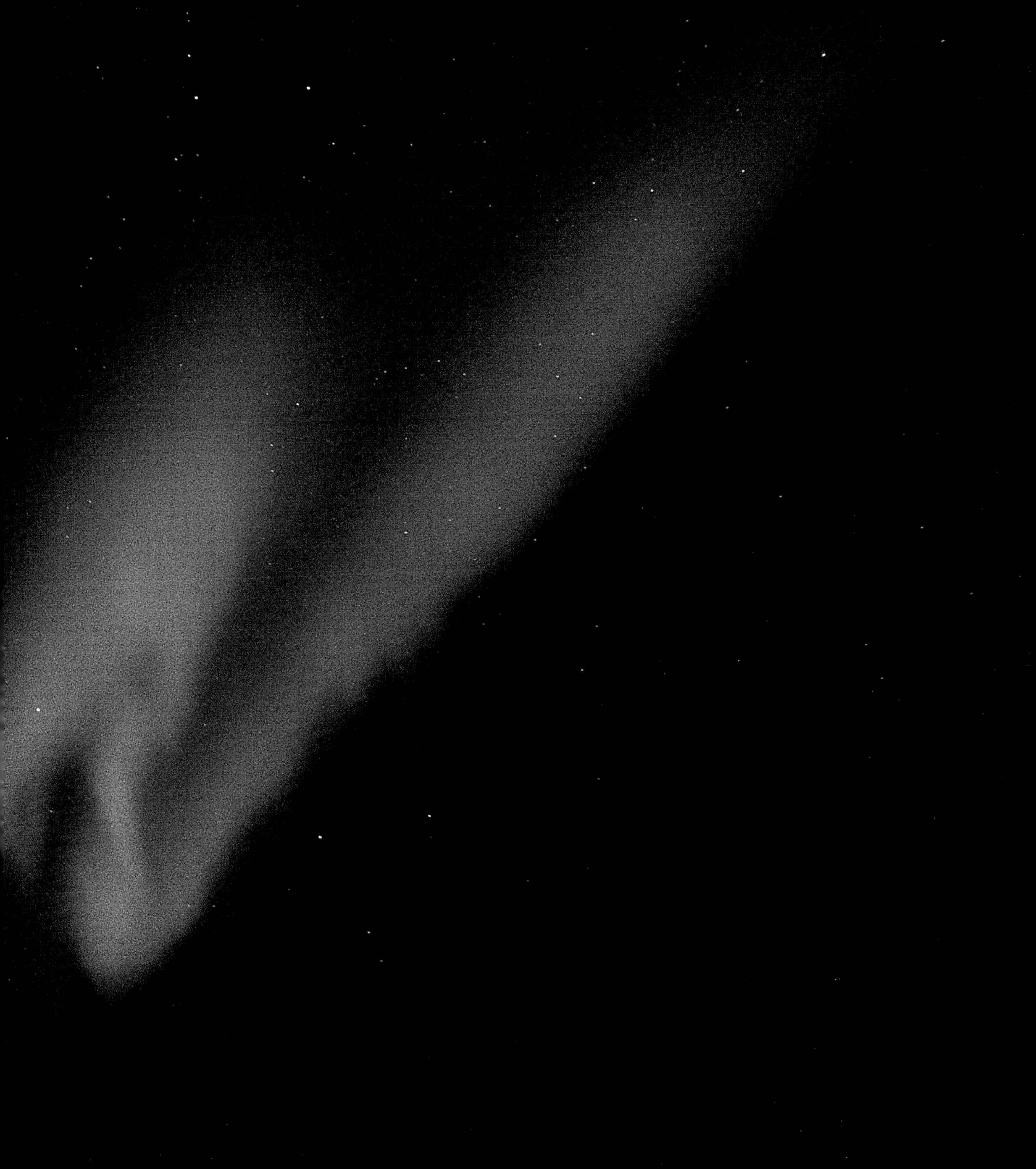

Førjulsstemning i havna
på Reine.

*Christmas is coming in the
harbor at Reine.*

De ville lofotfjellene bryter seg inn i himmelen en tidlig vintermorgen.

The wild mountains of Lofoten break through the sky early on a winter morning.

Blått lys på yttersida, i mørketida.

Blue light on the far side during the dark time of year.

En kald vinterdag i Reinefjorden.

A cold winter day in the Reinefjord.

23 desember. Gløden fra sola som fremdeles befinner seg langt under horisonten, skaper en intens følelse av lys som er på vei.

December 23. The glow of the sun, which is still far under the horizon, creates an intense feeling of light, which is on its way.

Et av brospennene ved Henningsvær, i mørketida.

A bridge span at Henningsvær in winter.

Da var det som et blodkar plutselig sprang på horisonten, solen steg ut av Moskenesstrømmen, og dens blodige stoff skjøt frem over Vestfjorden og fylte alle viker og våger langs landet. Gylne fjell vokste opp av havet.

It was as if a blood vessel suddenly burst on the horizon, the sun rose up from the Moskenes current, and its bloody contents shot out over the Vestfjord and filled all the coves and bays along the shore. Golden mountains grew from the sea.

Terje Stigen

Sola skinner for første gang dette året på fjellene ved Valberg.

The sun shines for the first time this year on the mountains at Valberg.

Vågakaillen hilser årets første solstråler velkommen.

Vågakaillen welcomes the first sunrays of the year.

Sola gløder mot husene i Kabelvåg.

The sun shines against the houses in Kabelvåg.

Sørpå må du tusen meter opp for å finne fjellet. I Lofoten står tindene til knes i havet. Det er som å seile gjennom Jotunheimen.

Down south, they have to climb a thousand meters to find the mountain. In Lofoten, the peaks stand up to their knees in the sea. It's like sailing through Jotunheimen.

Pål Espolin Johnson

Tidlig vinterlys ved Laupstad.

Early winter light at Laupstad.

«Luftspeilinger der setter fjellrekker på hodet foran deg og bak deg, alltid flyttende, mens hvaler leker, fugl skriker.»

"Mirages that turn floating mountains topsy-turvy ahead of you and behind your back, while whales are playing and birds are shrieking."

Bjørnstjerne Bjørnson

Hildring! Værøy og Mosken "flyter" i havet en kald vinterdag.

A mirage! Værøy and Mosken are floating in the sea on a cold winter day.

På kalde vinterdager fryser bunnen av fjordene, og ved fjære sjø blir isen liggende som et belegg i strandkanten.

On cold winter days, the fjord floor freezes, and at low tide, the ice coats the shoreline.

Strømvirvler i Moskenes-
straumen.

The Moskenes maelstrom.

Kanskje havner denne laksen på en tallerken i Beijing?

Maybe this salmon is on it's way to a dinner plate in Beijing?

Gode oppvekstvillkår for laks.

Good conditions for salmon.

Stiv kuling en vinterdag ved Flakstad.

Near gale winds on a winter day at Flakstad.

Det her er ikkje mat, det er et brøllop.
Johan Bojer om skreimølje, 1921

This isn't food, it's a wedding.
Johan Bojer about a rich cod dish, 1921

En ekte lofotskrei! Torsk som kommer fra Barentshavet for å gyte i Lofoten.

A genuine Lofot cod! The cod comes from the Barents Sea to spawn in Lofoten.

Lofoten var bestandig seg sjøl lik. Alle strømte til og skulle ha lott. Og nå som i alle tider: Fiskeren, han som satte liv og krefter inn. Han fikk minst.

That's just like Lofoten. Everyone came forward to claim his share. And now as always: The fisherman, who offered his life and strength. He got the least.
Andreas Markusson

En gammel veteran på lofothavet.

An old salt on the Lofoten Sea.

To ungjenter bruker vinterferien sin til å tjene noen kroner som tungeskjærere i Lofoten.

Two young girls spending their winter break earning some money cutting out cod tongues in Lofoten.

Kveldssola skinner på halvtørket lofotskrei.

The evening sun shines on half-dried cod.

Båter i Henningsværstraumen på vei hjem fra feltet.

Boats near Henningsvær on their way home from the fishing banks.

Lofotfisket

Av Roy Jacobsen

Klokka er halv seks. Noen hundre båtmotorer som akkurat har startet opp fyller havneområdet med en rumlende bass: garn-, line- og juksabåter, skøyter, sjarker og kuttere, de fleste hjemmehørende her på Røst, men mange også såkalte "fremmenbåter", som vår "Stortinn" fra Herøy på Helgeland.

Været er "bra" i dag, hvilket vil si at det er spakere enn liten kuling; lufta er djupblå som innsida av et tomt blekkhus, og det kalde grøsset som alltid ligger langs kaiene i morgentimene om vinteren og trenger gjennom kjeledresser og strikkejakker og Helly Hansen-undertøy og minner sengevarme fiskerskrotter om at nå er det på'n igjen, det er her også, på denne vanlige sekstende dagen midt i Lofotsesongen.

Båtene ligger side om side langs kaiene, opptil fem og seks i bredden. Egnerne triller de egnede linestampene fra kjølelageret og ut på kaia og lemper dem om bord til fiskerne som kiler dem fast på dørken i egnarhuset, er skal det ikke være noe slingringsmonn!

Den ytterste båten slipper tampene og siger ut over den svakt bølgende blekkflata, den neste følger, og så videre, til kaia er dødlagt og bare en buldrende flåte av svaiende mastelys renner langsomt ut gjennom firskeværet, forbi Glea, brødrene Pedersens driftige og sagnomsuste fiskebruk, for på slaget seks, i det utror-signalet går, for full fres å denge seg inn i Guds frie og ville natur.

Vi runder skjær og brøtt, vi ser dagen stige rød og nølende av den rufsete horisonten, vi passerer Vedøyas brune skråninger og snøflekkede rygg, vi passerer de forskjellige Nykenes uregelmessige tannstilling, finner en åpning mellom de ytterste holmene, og det bærer løs med "eit heil skaillan" som skipper Vikedal kaller det når den vesle farkosten hans på snaue 48 fot gjør bevegelser de fleste heller forbinder med et tivoli enn en arbeidsplass. Vi trøster oss med at det varer jo ikke evig, noe det dessverre gjør. Det "bra" været som ble konstatert der inne i havna drar nemlig på et etterslep fra gårsdagens storm fra "søvæst", som nå har fått en nattgammel frisk bris på tvers. Men heldigvis befinner vi oss på innersida, uten at det gjør noen særlig forskjell, her på Røst er det jo strengt tatt "ytterside" på alle kanter, men altså på østsida av dette lille øysamfunnet, i skråningen opp fra gapet i den berømmelige Vestfjorden, landsdelens sentrale spiskammer opp gjennom alle tider.

Det slakkes på farten. De to fiskerne, dekksarbeiderne, er allerede kommet seg i oljehyret og står klar ved rekka, den ene med en "langhuk", en slags båtshake med kroker i enden, stort sett brukt til å huke opp lausfisk, den andre med to tomstamper, én til ilen og én til bruket. Mannen med langhuken har tittelen "kortmann", det er han som klepper inn fisken, sørger for at lina - med fløyt, dregger, iler, kavel etc.- kommer pent og pyntelig opp av havet og inn i båten. Nå langes dreggen over mot makkeren som kveiler opp det korte snøret og henger den på kanten av sløyebingen. Lina legges på kveileren, en ny stamp skyves under, skjermene monteres. Og fisket er i gang.

Lofot-fishing

by Roy Jacobsen

By 5:30 am, the quays at Røst are lined with fishing boats in many shapes and sizes, engines humming. The weather is good, all things considered, although moving around deck can be as rocky as a ride at an amusement park. The boats push off and form a long line of mast lights leading toward the Vestfjord, Lofoten's ocean pantry. As the engines slow down, all hands come on deck. Now the fishing can begin.

Mange måker er et tegn på god fangst.

Many seagulls is a good sign.

Garn-, juksa- og linebåter har utror (drar ut på havet). Vestfjorden i bakgrunnen.

Boats go out to sea with the Vestfjord in the background.

En garnbåt med stor fangst.

A boat with a big catch.

Henging av skrei på fiskehjeller i Henningsvær.

Hanging cod on racks at Henningsvær.

1140

Skrei til tørk under
Lofotveggens tinder.

Cod to dry under the peaks of the Lofoten Wall.

Ei fiskeskøyte på vei hjem.

A fishing boat on its way home.

Henningsvær havn en vinterdag. I gamle dager var det så tett med båter at en kunne gå tørrskodd fra en side av havna til den andre.

Henningsvær harbor on a winter day. In the old days, there were so many boats that you could walk from one side of the harbor to the other without getting your feet wet.

Snurrevad-flåten er på vei ut på feltet, i dag Henningsværstraumen.

The Snurrevad fleet is on its way out to the fishing banks, today near Henningsvær.

Kaldt, arktisk lys på Flakstadstranda.

Cold arctic light on Flakstad beach.

En eldre bensinpumpe synger på siste verset, ytterst på kaikanten.

An old gas pump, at the far end of the quay.

Så rent er havet i Lofoten!

The pure sea at Lofoten!

Ja, det kan ikke nektes - Et imponerende syn: Det reneste av det rene, det koldeste av det kolde, det dydigste av det dydige, det fornemste man kan tenkte seg, altre for ensomhetens gud og kyskhetens guddommelige uberørbarhet. Vanskelig, vanskelig å male dette.
Christian Krohg om fjellene ved Svolvær

Yes, you can't deny it – it's an impressive sight: The purest of the pure, the coldest of the cold, the most virtuous of the virtuous, the most distinguished you can imagine, altars to the god of loneliness and the divine untouchability of chastity. Difficult, difficult to paint this.
Christian Krohg about the mountains at Svolvær

Svolværgeita, kanskje det mest kjente landemerket i Lofoten.

Svolværgeita, perhaps the most famous landmark in Lofoten.

Laupstad ligger i bunnen av Austnesfjorden, i bakgrunnen Higraftinden.

Laupstad lies at the base of the Austnesfjord, with Higraftinden in the background.

Marslys i Austnesfjorden,
kirka i Sildpollen.

March light in Austnes-fjorden, the church at Sildpollen.

Marslys på stranda ved Vikten.

March light on the beach at Vikten.

Rullesteinsfjæra på Utakleiv blir en formmessig kontrast til de forrevne fjellene i bakgrunnen.

The pebbles at low tide at Utakleiv contrast with the craggy mountains in the background.

Lofoten – hva nå?

Av torsketungeskjærer og tidligere Svolværramp, Steinar Jakobsen

I Svolvær hadde vi smakt bacalao lenge før vi visste hva en hamburger var. Lofoten har i hundrevis av år sendt sin tørrfesk sørover til Italia og Portugal, og fått eksotiske impulser tilbake.

Som guttunger sto vi storøyd ved hurtigrutelandgangen og så dem komme i land: amerikanske damer med lilla hår og perlemorsbriller, kosmopolitter i alpelue og staffeli under armen. Kunstnere strømmet til Lofoten i mørketida for å male lyset. I dag er det blitt mindre skrei, men mange flere turister. Men Lofotveggen er den samme, tre milliarder år gamle fjell, formet av istiden for 10 000 år siden. Omgitt av sydvest og tåke, midnattssol og havblikk. Det er så mye kjølevann å skue tilbake på, langt lettere enn å være los inn i fremtiden. Men æ ska forsøk. Vi setter kursen mot Lofoten år 2020:

Turister kommer i hopetall, året rundt. Men ikke mer enn Lofoten klarer å ta imot. De kommer til et av de få stedene på den nordlige halvkule hvor man ennå kan la friskt regn piske seg i fjeset, oppleve tåke som er grå og ikke gul, se havbunnen på tjue meter og hvite lofotlam som beiter på det saftige gresset i de bratte fjellsidene.
Rorbuene er der fremdeles, men også hoteller av forskjellige slag. Flere kaianlegg er restaurert, og nye former for overnatting og flere spisesteder kan oppleves. Her kan man nyte verdens mest eksotiske fiskemåltider basert på Lofotens unike råstoffer. Lofotkjøkkenet har fått et internasjonalt ry. Kokker utdannes i stort antall i Lofoten, det gir stor internasjonal prestisje å ha gått sin lærlingetid her. Måltidene serveres på en måte som er en opplevelse i seg selv. Ekte, naturlig lofothøflighet satt i system.

Og det som også imponerer, er den kunnskapen om Lofoten alle har. Lofoten er god historie, og de som jobber på turistanleggene er gode historiefortellere. Turister kommer for å oppleve historien. Nordlandsk gjestfrihet har fått et nytt innhold. Lofoten er blitt synonymt med gjestfrihet, vennlighet og den gode historie.

Den rivende utviklingen innen turistnæringen har ikke skjedd på bekostning av det opprinnelige. Mangfoldet i Lofoten er som før. Kjentmannen eller vantmannen er blitt et begrep: Den ekte lofotværing, han eller ho som vet hvor mea er. Lofoten er ikke blitt en strømlinjeformet turistmaskin. Lofoten " e' sæ sjøl".

Fiskeri, enten som oppdrett eller som tradisjonelt fiske, og med en økende grad av videreforedling, er fortsatt den viktigste næringen. Hovedårsaken er en bevisst satsing på rekruttering av kreative og kunnskapsrike medarbeidere. Lofoten er blitt et attraktivt sted å bosette seg. For folk fra hele verden. Det er lagt til rette for ideutfoldelse og kunnskapsutvikling. Og naturen inspirerer fortsatt!

Som hurtigruta var kystfolkets første møte med den "ståandes buffet", sånn er Lofoten blitt den globale verdensborgers møte med det ekte og eksotiske fiskekjøkken. Og ekte gjestfrihet, Lofoten.

Lofoten – the next 20 years

by cod tongue cutter and former Svolvær boy, Steinar Jakobsen

Less fish, more tourists, but the landscape remains the same. We expect even more people visiting one of the few places in the northern hemisphere with fresh, clean water and lambs grazing on mountainsides. The fishermen's cabins will still be here, but there will be more hotels, more restored wharves and more restaurants serving dishes based on Lofoten's unique natural pantry.

En del av havna i Henningsvær er modernisert og gjort om til reiselivsformål. Her ser vi Henningsvær Bryggehotell og Galleri Lofotens hus.

Part of Henningsvær harbor has been modernized and turned into a tourist center. Here Henningsvær Wharf Hotel and Galleri Lofotens House.

Uvær gir seg, Unstad.

The storm is settling at Unstad.

Bølgene bryter mot vinden og sola kommer inn i lav høyde, en påskedag på Bunestranda.

The waves break against the wind and the sun shines from a low level, an Easter day at Bunestrand.

Oversiktskart
1 Norsk Fiskeværsmuseum/Norsk Telemuseum
2 Lofotr- vikingmuseet på Borg
3 Lofotakvariet
4 Lofotmuseet
5 Galleri Espolin Johnson
6 Nordnorsk Kunstnersentrum
7 Dagfinn Bakkes Galleri
8 Galleri Lofotens Hus
9 Galleri Krysset
10 Glasshytta
11 Engelskmannsbrygga
12 Sund Fiskerimuseum og Smie
13 Dagmars Dukkemuseum
14 Lofoten Tørrfiskmuseum
15 Lofoten Krigsminnemuseum
16 Vestvågøy museum
HADSEL
MELBU
FISKEBØL
AUSTVÅGØY
LAUPSTAD
TROLLFJORDEN
RAFTSUNDET
GIMSØYA
VÅGAN
SILDPOLLEN
STORE MOLLA
BRETTESNES
SVOLVÆR
LILLE MOLLA
KABELVÅG
SKROVA
HENNINGSVÆR
EGGUM
UNSTAD
BØSTAD
BORGE
UTAKLEIV
VESTVÅGØY
LEKNES
STAMSUND
VIKTEN
NAPP
GRAVDAL
HENNINGSVÆR STRAUMEN
RAMBERG
MORTSUND
BALLSTAD
FLAKSTAD
NUSFJORD
SUND
HAMNØY
REINE
MOSKENES
SØRVÅGEN
Å
MOSKENSTRAUMEN
VESTFJORDEN
MOSKEN
NORDLAND
VÆRØY
MOSTAD
RØST
RØSTLANDET
SKOMVÆR FYR
BODØ
SALTSTRAUMEN
VEI
FERGE
HURTIGRUTE
HURTIGBÅT

Skomvær fyr, Trenyken i bakgrunnen.

Skomvær lighthouse, Trenyken in the background.